icas nort

El viaje de Colón

Escrito por Melinda Lilly

Ilustrado por Raquel Díaz

Consultores educativos

Kimberly Weiner, Ed.D.

Betty Carter, Ed.D.

Rourke

Publishing LLC

Vero Beach, Florida 32963

www.rourkepublishing.com

A mis amigos de Versal, marineros de este nuevo viaje.
—R. D.

Diseñadora: Elizabeth J. Bender

Dirección de arte: Rigo Aguirre, www.versalgroup.com

Library of Congress Cataloging-in-Publication Data

Lilly, Melinda.
   [The Journey of Columbus. Spanish]
     El viaje de Colón / Melinda Lilly; illustrated by Raquel Díaz.
     p. cm. — (Lecturas históricas norteamericanas)
   ISBN 1-59515-677-1 (paperback)

Ilustración de la cubierta: Colón con la *Niña*, la *Pinta* y la *Santa María*

Impreso en Estados Unidos.

Cronología

Ayude a los estudiantes a seguir esta historia, presentándoles eventos importantes en la Cronología.

100	En China, se inventa la brújula.
1492	Colón llega a América.
1498	Vasco de Gama llega a la India navegando por el cabo de Buena Esperanza.
1506	Muere Colón.
1513	Juan Ponce de León desembarca en Florida.
1522	El barco de Magallanes con 18 tripulantes completa la circunnavegación del mundo.
1609	Henry Hudson explora el área de Nueva York.

Colón parte hacia **Asia**.

Los barcos zarpan en 1492.

Colón en el mar

Las semanas se suceden en las naves, la **Niña**, la **Pinta** y la **Santa María**.

Las naves

"¡Regresemos!" dicen los **marineros**.

Los marineros y Colón

Los marineros piensan que el **mundo** es plano. Los marineros no quieren caerse del mundo plano.

Los marineros miran el mapa.

Colón sabe que el mundo no es plano.

Colón con su mapa

Colón continúa navegando.

En el **viaje**

"¡Tierra! ¡Tierra!" grita un marinero.

Un marinero divisa tierra.

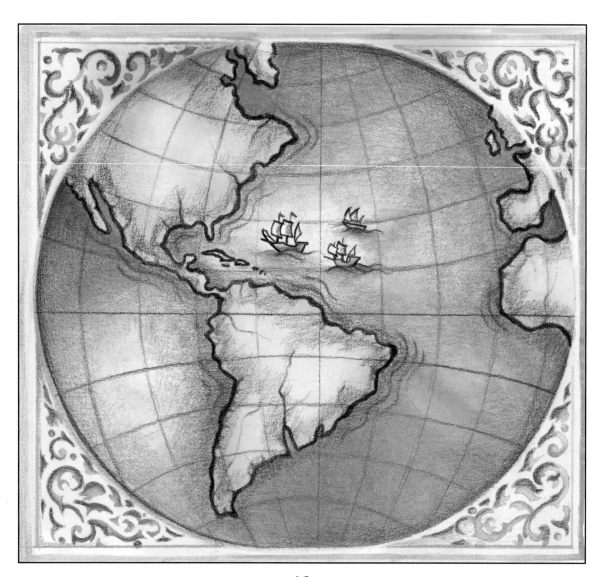

Colón no está en Asia. Los barcos se detienen en una **isla** de **América**.

Los barcos llegan a América.

Pronto, mucha gente sabrá que existe América.

Colón regresa a casa.

Lista de palabras

América — el conjunto de los continentes americanos

Asia — continente al lado de Europa y de los océanos Pacífico, Ártico e Índico

Colón, Cristóbal — importante explorador que navegó hasta las islas del Caribe en 1492

isla — tierra rodeada por agua que es muy pequeña para ser un continente

mundo — el globo terráqueo, la Tierra

Niña — una de las naves de Colón

Pinta — una de las naves de Colón

Santa María — la nave capitana en el viaje de Colón de 1492

viaje — un recorrido largo

Libros recomendados

Dekay, James. *Meet Christopher Columbus*. Random House, 2001.

Devillier, Christy. *Christopher Columbus*. Abdo & Daughters, 2002.

Fontanez, Edwin. *Taino: The Activity Book*. Exit Studio, 1996.

Roop, Peter and Connie Roop. *Christopher Columbus*. Scholastic, 2001.

Páginas de internet

www.ibiblio.org/expo/1492.exhibit/Intro.html

www1.minn.net/%7Ekeithp/

www.childfun.com/themes/columbus.shtml

www.fordham.edu/halsall/source/columbus1.html

http://search.biography.com/print_record.pl?id=4596

Índice